Montel-Glenisson, Caroline
Cartier: au pays de Canada

ISBN : 2-07-031057-4

Numéro d'édition : 33728
Dépôt légal : février 1985
Imprimé en Italie

CAROLINE MONTEL-GLENISSON

Illustrations de Morgan

GALLIMARD

Saint Malo de
l'Isle
Château des
Ducs de
Bretagn
Le Sillon
Saint Servan

Saint-Malo

Jacques Cartier est né à Saint-Malo en 1491. Ses parents habitaient une petite rue près du rempart nord de la ville, dans une modeste maison de pierre et de bois recouverte d'un toit de chaume. La ville de Saint-Malo, qui est située en bordure de mer tout à fait au nord de la Bretagne, est bâtie sur une île rocheuse reliée à la terre par une digue, le « Sillon ». A l'époque de Jacques Cartier, le Sillon était recouvert par la mer à chaque grosse marée.

La ville entourée d'épais remparts était blottie sur son rocher. On y pénétrait par deux portes que l'on fermait tous les soirs à 10 heures. Cette heure passée, des chiens de garde étaient lâchés à l'extérieur de la ville. A l'intérieur, les maisons de bois s'entassaient les unes contre les autres. Les rues serpentaient, étroites et sombres, encombrées par la foule des livreurs, des marchands, des passants et des marins. Car

la ville de Saint-Malo était avant tout un important port de mer. On y construisait des bateaux, et des navires venus de contrées lointaines y apportaient toutes sortes de marchandises. Le soir, les marins faisaient le récit de bien étranges aventures survenues dans des pays merveilleux au-delà des mers.

Comme tous les enfants de Saint-Malo, Jacques Cartier était fasciné par la mer et passionné par les histoires des marins. Comme eux, il jouait et courait sur les remparts et apprenait à connaître les rivages en faisant de longues promenades en barque le long des côtes.

Un jour, quand il a eu douze ans, ses parents l'ont fait engager comme mousse à bord d'un navire qui partait pêcher la morue. C'était un métier très difficile, car, pendant la saison de la pêche, il fallait travailler sans presque dormir ou manger pendant des jours et des nuits d'affilée. Naturellement, les petits mousses faisaient toutes les corvées, mais ils apprenaient aussi à naviguer.

Jacques Cartier a très vite appris tous les secrets de la navigation. Comment lire les cartes, se diriger à l'aide du soleil ou des étoiles, connaître les vents, les marées et les courants. Après les campagnes de pêche, il a fait toutes sortes de voyages qui l'ont conduit en Afrique et même au Brésil.

Morue. Poisson pouvant atteindre 1,50 m de long.
Peut être désignée aussi par :
Cabillaud - chaire fraîche
Morue verte - chaire salée
Merluche - chaire séchée

Jacques Cartier à l'âge de 43 ans en 1534

A l'âge de vingt-neuf ans, quand il épouse la fille du connétable de Saint-Malo, Catherine Des Granches, il est déjà capitaine. Mais la grande aventure de Jacques Cartier a commencé bien plus tard, en 1534, alors qu'il avait déjà passé une grande partie de sa vie à parcourir les mers et à écouter les récits des marins. En effet, tout en naviguant ainsi, il avait peu à peu formé un grand projet. Pour les hommes de cette époque, la Chine et l'Inde étaient la source de toutes les matières précieuses telles que la soie, les épices, l'or, les pierreries. Depuis toujours des caravanes venues du fin fond de l'Orient approvisionnaient, par les ports de la Méditerranée orientale, les marchands de Venise, Gênes et Rome, qui distribuaient à leur tour ces denrées précieuses dans toute l'Europe.

Au XIIIe siècle, Marco Polo et son frère avaient, au cours d'un extraordinaire voyage, découvert l'origine de ces richesses, le « fabuleux royaume de Cathay ». Le récit de leur expédition devait faire l'admiration de générations d'Européens qui rêvèrent de les imiter ou de trouver un chemin plus court par la mer. Tandis que les Portugais choisissaient la route de l'est et entreprenaient de contourner l'Afrique, Christophe Colomb, Génois au service de l'Espagne, choisissait, lui, la voie de l'ouest en 1492.

Il avait à son bord le livre de Marco Polo et, croyant la circonférence de la terre beaucoup plus petite qu'elle ne l'est en réalité, ne doutait pas en naviguant vers l'ouest d'atteindre bientôt le rivage de l'Inde. Il était sûr de l'avoir trouvé quand il aperçut la terre au bout de deux mois de navigation. Il nomma les premiers indigènes qu'il vit les « Indiens ». En fait, il venait d'arriver aux Antilles...

Quelques années plus tard, Amerigo Vespucci reprenait le chemin de Christophe Colomb et longeait les côtes jusqu'au Brésil. Il donnait son nom aux terres qu'il avait découvertes : l'« Amérique ». Enfin, de 1519 à 1521, Magellan poursuivait ce périple et suivait la côte de l'Amérique du Sud jusqu'à son extrémité sud. Il pénétrait dans l'océan Pacifique par le détroit qui porte son nom et gagnait les Philippines, où il devait périr assassiné. Un seul de ses navires parvint à regagner l'Espagne.

Magellan

Le tour du monde était bouclé ! Mais les péripéties survenues durant le voyage montraient l'immense difficulté du trajet par le sud. Les souverains d'Europe accordèrent du coup moins d'intérêt aux navigateurs qui prenaient les routes du sud, et ils allèrent à la recherche d'idées nouvelles et de routes différentes...

Dès 1497, le Génois Sébastien Cabot partit vers le nord de l'océan Atlantique et découvrit Terre-Neuve pour le compte de l'Angleterre. En 1520, le Portugais Fagundes avait reconnu, lui, encore plus au nord, les terres du Labrador.

Pour l'armateur dieppois Jehan Ango, c'étaient là des pistes intéressantes. Il envoya le navigateur Verrazano examiner de plus près ces terres découvertes au nord.

Verrazano, parti en 1523, longea la côte de l'Amérique du Nord, de la Floride à Terre-Neuve, à la recherche d'un passage vers la mer de Chine correspondant à celui de Magellan au sud.

Il rapporta la certitude que ce passage n'existait pas le long de la côte qu'il avait explorée.

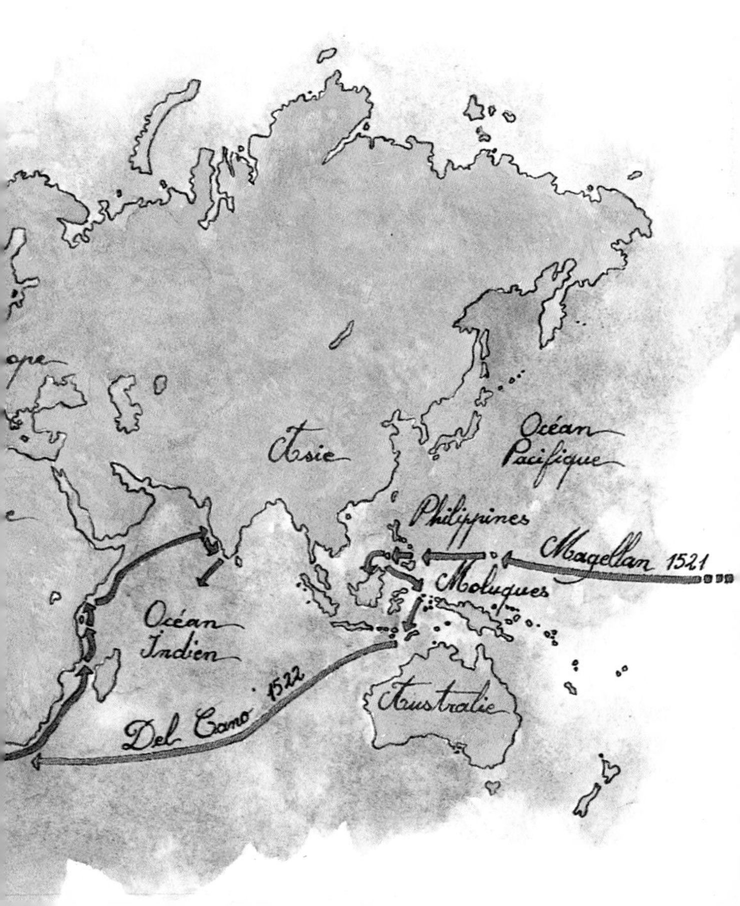

L'aventure du Nouveau Monde

Verrazano avait visité le Sud de Terre-Neuve, mais pas le Nord... Jacques Cartier décida donc de poursuivre l'exploration dans cette direction. Il avait voyagé en Afrique et au Brésil avec les Portugais, et sans doute avec Verrazano lui-même. Il avait suivi de très près tous les voyages de découvertes de son époque. Il gardait aussi de ses campagnes de pêche avec les morutiers le souvenir d'un détroit qui sépare, au nord, Terre-Neuve du Labrador, région que Verrazano n'avait pas explorée. C'était peut-être le fameux passage vers l'Asie que tout le monde recherchait.

Seulement, il fallait trouver beaucoup d'argent pour entreprendre un tel voyage. Jacques Cartier en parlait autour de lui sans trop d'espoir, mais son idée commençait à faire du chemin.

En 1532, le roi de France, François Ier, vient au Mont-Saint-Michel, tout proche de Saint-Malo. L'abbé du Mont-Saint-Michel s'intéresse au projet de Jacques Cartier. Il en fait part au roi. Cette proposition est la bienvenue.

François Ier, lassé de voir les Espagnols et les Portugais se partager les trésors de l'Asie et de l'Amérique, est prêt lui aussi à se lancer dans l'aventure du Nouveau Monde.

Il rêve d'y concurrencer son voisin et rival de tous bords, l'empereur d'Allemagne et roi d'Espagne, Charles Quint. Il espère enfin renflouer le trésor royal appauvri par les guerres continuelles qui depuis son avènement, en 1515, ont jalonné son règne.

Il donne donc à Jacques Cartier la tâche de *« faire le voyage aux Terres-Neuves pour y découvrir les terres et isles où se doit trouver grande quantité d'or et d'autres richesses »*. Depuis que les Espagnols ont trouvé les trésors du Mexique et du Pérou, chacun rêve en effet d'en découvrir de semblables dans le Nord de l'Amérique. Le second but du voyage, c'est bien sûr, la découverte du passage du Nord vers la mer de Chine.

Charles Quint
aux environs
de 1530

Le Mont Saint Michel
anciennement dit, "le mont tombe"

Embarquement
avril
1534

Cartier a son ordre de mission, mais il n'est pas au bout de ses peines ! Avec l'appui du roi, il obtient l'argent pour équiper deux navires, petits mais maniables. Il réunit le matériel nécessaire à son voyage : de l'eau et des vivres pour une longue traversée, des canots pour gagner la terre... Il rassemble des colliers de verroterie, des haches, des couteaux et même des chapeaux de feutre rouge dont il sait, d'après son expérience avec Verrazano, que les indigènes d'Amérique sont friands. Pour trouver un équipage, c'est plus difficile ! Les armateurs et les marins de Saint-Malo, vexés de ne pas avoir été consultés pour l'organisation d'une telle expédition, essayent de compromettre le départ de Jacques Cartier.

Astrolabe

L'astrolabe est un instrument destiné à observer la position des astres et à déterminer leur hauteur au dessus de l'horizon

Au fur et à mesure, tous les hommes qui s'étaient inscrits refusent de monter à bord des navires, car on leur fait ailleurs des propositions plus intéressantes. Jacques Cartier doit finalement faire appel à ses amis et aux membres de sa famille pour constituer un équipage de confiance.

Il est temps ! Le printemps est déjà avancé, ce 20 avril 1534, et il faut profiter de la belle saison pour naviguer. Jacques Cartier connaît bien la route, droit devant lui vers l'ouest, comme le lui ont appris les

Arrivée au cap Bonavista sur la

pêcheurs avec qui, enfant, il se rendait à Terre-Neuve. Vingt jours après leur départ de Saint-Malo, les navigateurs sont en vue de Terre-Neuve et bientôt, Cartier repère le passage qu'il connaît entre Terre-Neuve et le Labrador. La véritable aventure commence...

Personne jusque-là n'a osé s'aventurer si loin. Le 15 juin 1534, à l'âge de quarante-trois ans, Jacques Cartier entre dans l'inconnu avec ses deux petits bateaux. Il entre aussi dans l'Histoire...

La baie des châteaux

fou de Bassan
ou "Margaulx"

poids de 3 à 3,5 kg
longueur 91,5 cm

Pingouin "Godé"
longueur 40 cm

Premier voyage

Des côtes rocheuses, déchiquetées comme des châteaux en ruine, des îles brumeuses couvertes de pingouins et de goélands, un paysage mystérieux, sans végétation, désolé ; qu'il est étrange ce Nouveau Monde que longent à présent les navigateurs ! *« C'est la terre que Dieu donna à Caïn »,* murmure Jacques Cartier.

Heureusement, peu après, le passage s'élargit et les bateaux pénètrent dans un vaste golfe semé d'îles plus riantes et plus hospitalières. L'équipage soulagé est ravi de mettre pied à terre dans une petite île. Il y pousse du blé sauvage, de la vigne, des fraises et des groseilles. On se repose, on se restaure. Les hommes prennent le temps d'observer les animaux. Ils voient des ours, des renards, mais aussi d'énormes bêtes qui ont des défenses comme les éléphants mais se traînent comme de gros poissons sur le sable des plages : ce sont des morses. Charmé par la richesse de cette île, Jacques Cartier la baptise « Brion », en l'honneur de l'amiral de France Philippe Chabot, seigneur de Brion.

Les Indiens chassent les morses pour leur cuir, leur graisse et l'ivoire de leurs défenses

On rembarque jusqu'à une nouvelle terre, une très grande île qui est aujourd'hui l'île du Prince-Édouard. Le paysage est vraiment magnifique. Jacques Cartier se fait conduire quatre fois à terre dans la même journée pour admirer de plus près les cèdres, les pins, les ormes blancs, les saules et tous les autres arbres inconnus en France. Les Français aperçoivent aussi leur premier Indien. Celui-ci s'enfuit en les voyant approcher. Déçus, les marins déposent à terre un couteau et une ceinture pour l'inciter à revenir. Mais en vain ! Ils nomment l'endroit « cap du Sauvage » et s'en vont à regret.

Débarquement au " cap du Sauvage "

Quelques jours plus tard, Jacques Cartier aperçoit à l'horizon un passage comme celui dont il a tant rêvé. Une large baie s'ouvre, pleine de promesses aux yeux des marins français.

Poussés par un léger vent du large, les navires s'enfoncent dans la baie inconnue, bientôt nommée, car il fait très chaud,

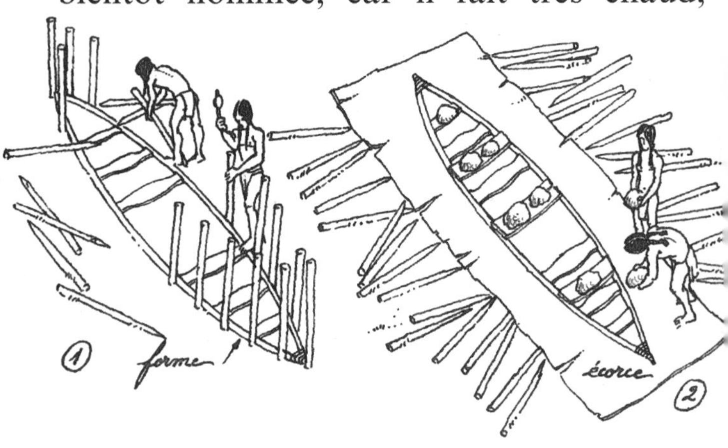

« baie des Chaleurs ». Et les voici tout à coup entourés d'une multitude d'Indiens qui se déplacent sur l'eau avec une rapidité incroyable dans leurs canots d'écorce. Ils poussent des cris dans une langue inconnue et agitent des peaux de bêtes en signe de bienvenue. Effrayés par le nombre, les Français oublient qu'ils ont eu envie de lier connaissance. Ils tirent quelques coups de

Étapes de la construction d'un canoë en écorce chez les Algonquins "Ojibwa"

canon en l'air qui font fuir tout le monde.

Le lendemain, les Indiens sont de retour. Ils expliquent par signes qu'ils veulent faire du troc avec les marins. Jacques Cartier envoie à terre des hommes chargés d'objets en fer, de verroterie et de chapeaux rouges. Ils reviennent, les barques pleines de fourrures.

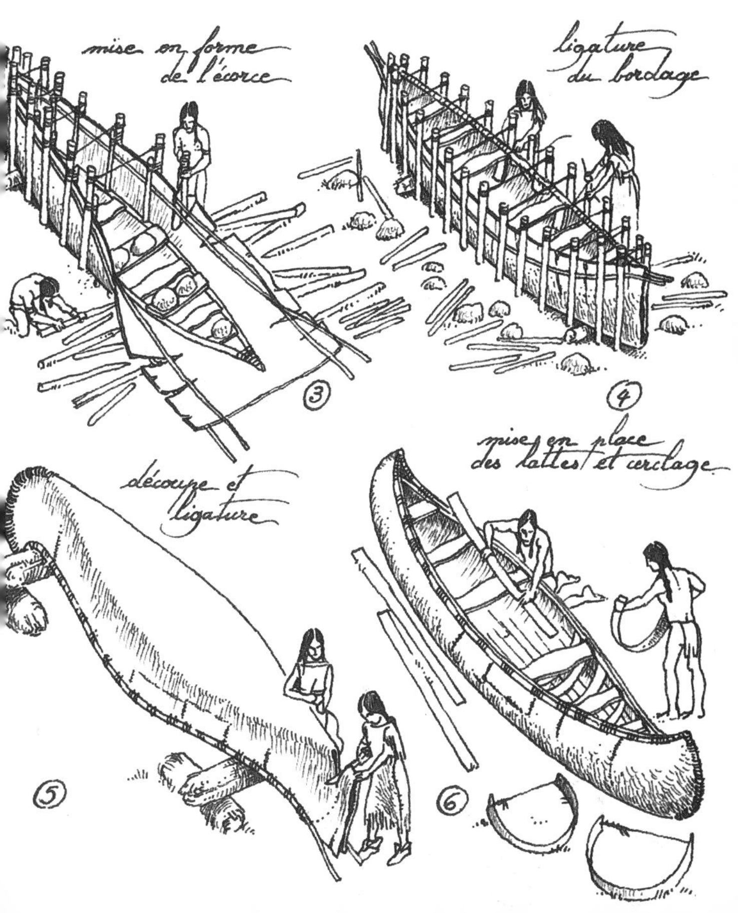

Les Indiens, enchantés, ont donné jusqu'aux peaux qui leur servent de vêtement, et ils manifestent maintenant leur joie en chantant et en dansant dans l'eau.

On ne peut pourtant s'attarder, et l'expédition se poursuit à la recherche du passage qui semble maintenant tout proche. Hélas, des montagnes apparaissent, et les Français comprennent qu'ils ont atteint le fond de la baie. Elle ne les mènera nulle part. Quelle déception après s'être crus si près du but ! Les navires font demi-tour et regagnent l'entrée de la baie des Chaleurs, d'où ils se remettent à longer la côte. Ils atteignent ainsi l'actuelle Gaspésie où ils vont faire une rencontre très importante : des Indiens à la tête entièrement rasée, à l'exception d'une longue mèche de cheveux retenue par un lien de cuir au sommet du crâne. Ce sont des Iroquois.

Les marins échangent des cadeaux avec eux, puis Cartier fait dresser une croix sur laquelle ont peut lire « Vive le Roi de France ». Il compte ainsi montrer qu'il prend possession de cette terre au nom du roi de France. S'il ne connaît pas le français, le chef des Indiens, Donnacona, comprend très bien la signification de ce geste. Comme les Français sont retournés sur leur navire après la cérémonie de la croix,

Iroquois
rencontrés sur
la rivière Dartmouth
au fond de la
baie de Gaspé
Saint Laurent
Détroit de St Pierre
Gaspésie
rivière de
Dartmouth
baie de
Gaspé

il s'avance en barque avec son frère et ses fils pour protester. Jacques a alors une idée. Il fait agiter une hache au-dessus du bastingage comme s'il envisageait de la leur offrir. Plein de convoitise, Donnacona s'approche. Sa barque est agrippée par les marins et les Indiens se retrouvent à bord du navire sans avoir eu le temps de comprendre ce qui leur arrive. Voyant leur émotion, Jacques s'empresse de les rassurer. Il ne leur sera fait aucun mal. Il leur offre à boire et à manger et leur fait même présent de la fameuse hache, cause de tous leurs malheurs. Quand la confiance est un peu revenue, il leur fait par signes cette étrange proposition : il invite les deux fils de Donnacona. Qu'ils viennent en France. Il leur montrera les richesses de son pays. Le visage de Donnacona se ferme. Mais les marins ont offert à ses enfants des vêtements européens et des chapeaux rouges. Séduits, les jeunes Indiens sont prêts à se laisser faire.

Objets de troc Européen

"Pacotille"
Clochettes en étain
hauteur de 2 à 3 cm

Devant la promesse d'un retour prochain et de nombreux cadeaux rapportés de France, Donnacona cède. Il adresse aux Français une ultime harangue dont ils ne comprennent pas un mot, mais où ils croient deviner un mélange de menaces et de recommandations. C'est ainsi que Domagaya et Taignoagny quittent le pays de leurs ancêtres pour suivre des hommes venus d'un autre univers, dont ils ne savent rien. Jacques Cartier se hâte de lever l'ancre, craignant que le chef ne change d'avis. Il tient en effet à ramener les jeunes Indiens en France, car il souhaite leur faire apprendre le français. Il pourra ainsi les questionner sur leur pays puis, au cours d'un prochain voyage, les employer comme guides et comme interprètes. Car, s'il sait qu'il doit rentrer en France avant le début de l'hiver, Jacques Cartier sait aussi qu'il reviendra.

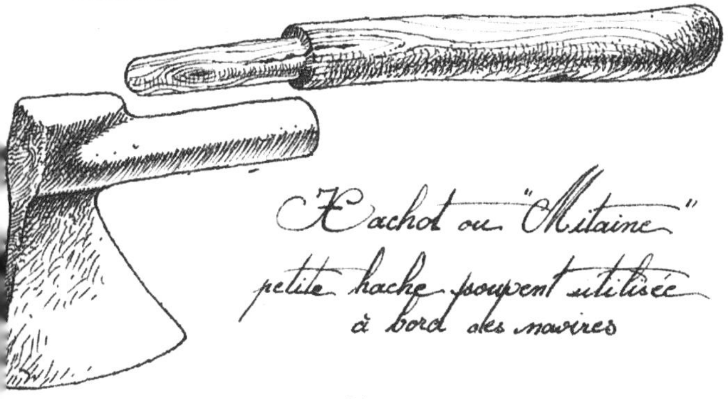

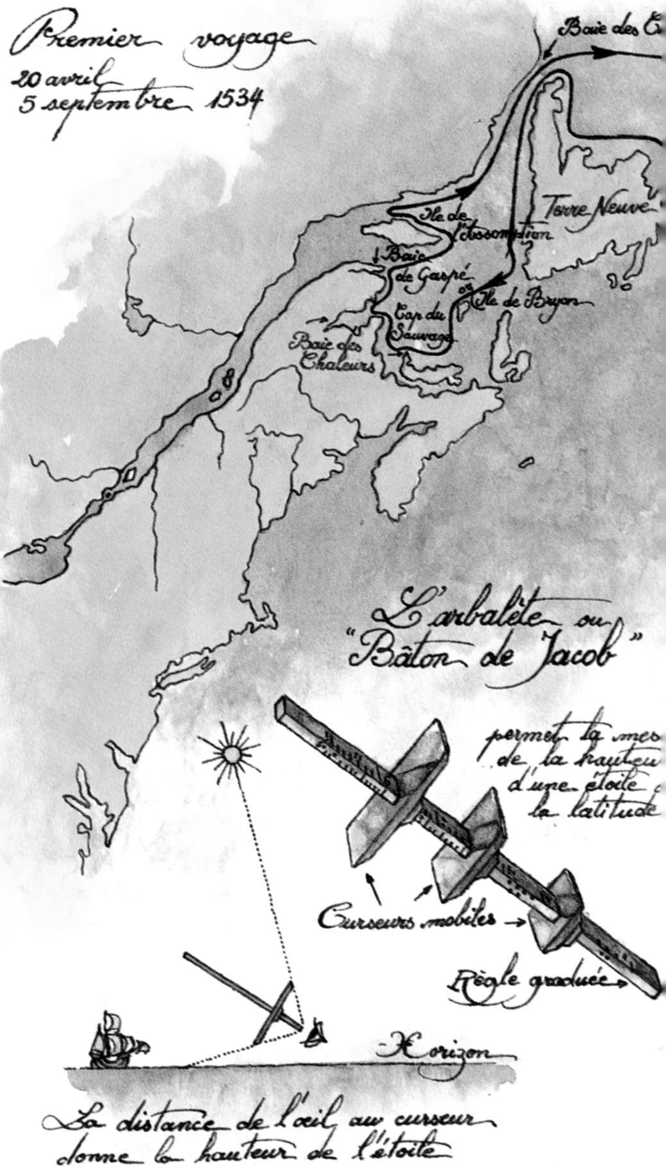

Premier voyage
20 avril
5 septembre 1534

Baie des Ch
Ile de l'Assomption
Terre Neuve
Baie de Gaspé
Ile de Bryon
Cap du Sauvage
Baie des Chaleurs

L'arbalète ou "Bâton de Jacob"

permet la mes
de la hauteu
d'une étoile
la latitude

Curseurs mobiles
Règle graduée
Horizon

La distance de l'œil au curseur donne la hauteur de l'étoile

Second voyage

Tandis que les jeunes Indiens ramenés par Jacques Cartier émerveillent la cour et vont de surprise en surprise, le récit que le navigateur fait de son premier voyage séduit le roi.

L'explorateur décrit le golfe immense, les arbres et les plantes inconnus en France, les animaux étranges aux somptueux pelages. Il présente Domagaya et Taignoagny, explique que grâce à leur aide il pourra, lors d'un prochain voyage, gagner les régions riches en or et en cuivre dont les jeunes Indiens lui ont parlé. Ébloui, François Ier charge Jacques de continuer la prometteuse exploration d'un si beau pays. Il lui donne trois navires : la *Grande-Hermine*, la *Petite-Hermine* et l'*Emerillon*.

L'*Emerillon* est un tout petit navire qui sera capable de traverser l'océan Atlantique, mais aussi de longer les côtes de très près et de remonter les fleuves. Domagaya et Taignoagny ont en effet précisé que c'est un grand fleuve de leur pays qui conduit aux régions regorgeant de richesses.

De nouveau, il est difficile de trouver un équipage. Cartier réussit finalement à réunir cent dix hommes en embarquant encore une fois parents et amis, mais aussi des gentilshommes volontaires qui rêvent de faire fortune au Nouveau Monde.

Il rassemble des provisions pour un an, car il souhaite passer l'hiver dans le nouveau pays. Il emporte également beaucoup de marchandises à échanger avec les Indiens et beaucoup de cadeaux à leur offrir. Naturellement, Jacques Cartier ramène aussi avec lui Taignoagny et Domagaya qui ont appris le français durant l'hiver.

Le 19 mai 1535 les navires repartent vers le Nouveau Monde. Cette fois-ci, la traversée n'est pas facile. La tempête sépare les bateaux qui se perdent de vue et ne se retrouvent, devant Terre-Neuve, que le 7 juillet.

L'expédition longe Terre-Neuve et pénètre dans le golfe. Puis, guidée par les Indiens, elle arrive à l'embouchure d'un fleuve immense. Jacques Cartier lui donne le nom de « Saint-Laurent » en l'honneur du saint du jour.

On commence immédiatement la remontée du fleuve. Il est si large que d'une rive on aperçoit à peine l'autre. Les rivages sont des falaises escarpées qui impressionnent les voyageurs. Puis voici l'embouchure d'une rivière. Elle conduit, disent les jeunes Indiens, au fabuleux royaume de Saguenay, le pays de l'or et du cuivre. Taignoagny et Domagaya expliquent à

N
S
O
Renard
Plateau de bois servant
à l'homme de barre
(qui ne savait pas forcément lire)
pour indiquer les ven
et la route du navire
suivie pendant son qu
ainsi que les
vitesses.
Misaine
Civadière
100 à 120 tonneaux
33 mètres de longueur
6 mètres de largeur
3 mètres de tirant d'eau
12 canons
(Caractéristiques supposées)

La Grande Hermine
Grand hunier
Grand'voile
Brigantine
Brigantine

Jacques Cartier qu'ils viennent de pénétrer dans le pays de Canada*. Ils approchent maintenant du village où ils sont nés, Stadacone, emplacement de la future ville de Québec.

Immédiatement prévenu, Donnacona vient en canot à la rencontre des navires français. Il y retrouve ses enfants avec des larmes de joie, et embrasse Jacques Cartier pour les lui avoir ramenés sains et saufs. Puis le chef emmène ses fils au village, tandis que les Français cherchent un havre pour l'hiver.

* Ce mot signifie "village" mais Cartier croit qu'il s'agit de la région, et l'applique à toute la vallée du Saint Laurent

Maisons longues pouvant abriter plus de 50 personnes

plaques d'écorce

Ils finissent par trouver un emplacement abrité à l'embouchure d'une petite rivière que Cartier nomme « Sainte-Croix ». Son intention est d'installer là un campement fortifié et d'en faire son quartier général. Il pourra de là poursuivre son exploration du fleuve. Car il veut remonter le Saint-Laurent

jusqu'à la bourgade d'Hochelaga dont les Indiens lui ont parlé.

Cependant, Jacques Cartier remarque que Donnacona n'a plus l'air aussi amical. Interrogé par l'intermédiaire de ses fils, le chef indien déclare qu'il ne veut pas que les Français se rendent à Hochelaga, où habite une tribu rivale. Il a peur de perdre auprès des autres Indiens le prestige et la richesse que lui apportent ses relations avec les Français s'il n'est plus le seul à pouvoir commercer avec eux.

Il ne dit naturellement pas tout cela à Jacques Cartier. Il tente plutôt de le convaincre que le voyage est dangereux. Mais l'explorateur ne veut pas renoncer à son projet. Donnacona essaye la douceur. Il convie Cartier à un festin, lui offre des cadeaux ; rien n'y fait ! Il imagine alors une ruse. Un matin, des sorciers vêtus de peaux de chiens noirs et blancs passent en canot devant les bateaux en poussant des cris affreux. Taignoagny et Domagaya viennent en expliquer la signification. Les sorciers, disent-ils, ont révélé que les marins périraient tous dans les glaces s'ils continuaient leur voyage vers Hochelaga.

Jacques Cartier rit de cette naïve comédie. Ses prêtres à lui, déclare-t-il, ont dit qu'il ferait beau temps ! Les Indiens s'incli-

Membre de la
société des
"Sans visage"
Ces masques
avaient un pouvoir
curatif pour
les maladies légères
de la tête (maux
de tête, saignements)
des membres et
de l'épaule

Oie blanche
Ours noir
Sa peau servait souvent
de vêture aux indiens.

nent en poussant par politesse quelques cris de joie, mais ils refusent catégoriquement d'accompagner les Français. L'*Émerillon* part donc sans guide et sans interprète le 19 septembre 1535.

La remontée du Saint-Laurent est un enchantement. Les navigateurs découvrent une belle vallée couverte d'arbres splendides, de vignes sauvages, de prairies aux fleurs et plantes inconnues en France. L'automne commence à peine et pourtant les arbres ont déjà des teintes rouges et dorées, éblouissantes. Des animaux aux pelages magnifiques apparaissent de temps à autre, laissant les voyageurs émerveillés par la beauté de leurs robes.

Tout au long du voyage, les Indiens riverains viennent à la rencontre des Français. Ils sont ravis de les voir sortir enfin du territoire de Donnacona et enchantés de pouvoir, à leur tour, faire du troc avec eux. Une peau de castor ou de renard contre un collier de verre ou un chapeau : les marins ne perdent pas au change !

L'*Emerillon* arrive ainsi sans encombre jusqu'aux abords d'Hochelaga. Il est accueilli par les cris de bienvenue d'un millier d'Indiens. Jacques Cartier distribue des cadeaux et la soirée se termine par des chants et des danses. Le lendemain, Cartier doit rendre une visite officielle à la cité d'Hochelaga. Il met ses plus beaux vêtements, et un groupe d'Indiens le guide à travers la forêt. Une délégation venue à leur rencontre les accueille selon le rite indien ; un feu est allumé au milieu du chemin et le chef fait au navigateur un discours de bienvenue. Après quoi l'on continue à avancer dans la forêt qui s'ouvre bientôt sur une vaste plaine couverte de blé d'Inde (maïs). Un peu plus loin s'élève une colline que Jacques Cartier baptise immédiatement Mont-Royal (Montréal) tant elle lui semble majestueuse. Au pied de la colline, Hochelaga accueille les voyageurs. C'est un village de forme ronde entouré d'une double palissade de pieux de bois. Au milieu, une cinquantaine de longues maisons recouvertes d'un toit d'écorce arrondi.

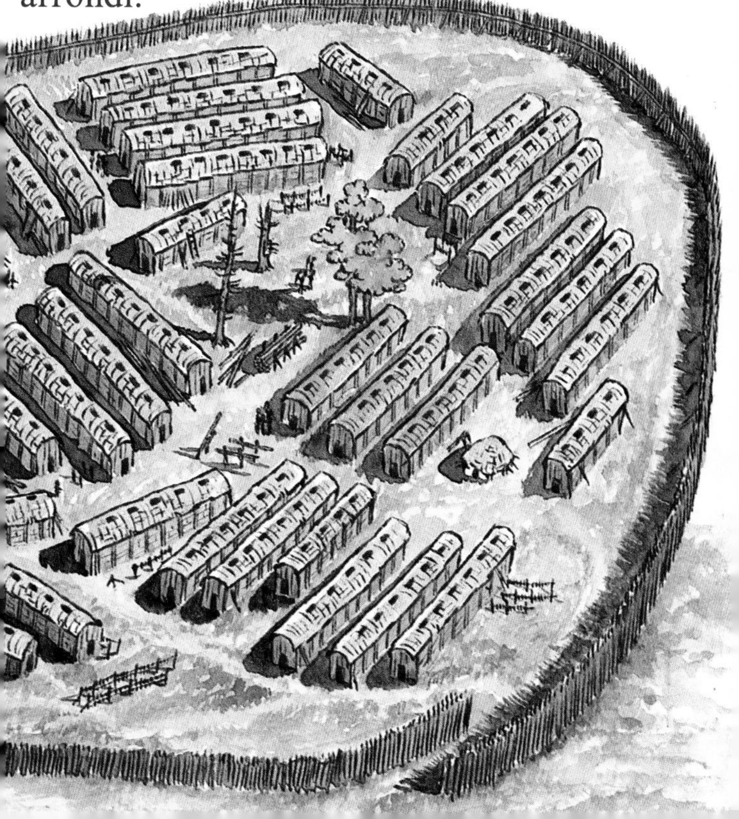

Curieux de tout, les Français se penchent à l'intérieur des maisons. Ils aperçoivent, accrochés aux poutres, du maïs, des anguilles et du poisson fumé engrangés pour l'hiver.

Les habitants d'Hochelaga souhaitent la bienvenue aux Français. Ils leur frottent le visage et les mains, puis le chef tend à Jacques Cartier sa belle coiffure en

piquants de porc-épic teints en rouge. Embarrassé, Cartier la lui rend non moins solennellement. Les Indiens offrent ensuite un repas aux voyageurs. Les hommes se regardent avec inquiétude. Ils n'ont encore jamais goûté de nourriture indienne ainsi préparée. Et ce qu'ils en voient ne les inspire pas tellement. Enfin, de peur de vexer leurs hôtes, Cartier et ses hommes acceptent l'invitation. Ils ne sauront jamais exactement ce qu'ils ont mangé. Probablement du maïs et des anguilles, mais accommodés d'étrange façon et surtout sans sel, ce qui leur semble bien fade.

Le déjeuner fini, au grand soulagement de l'équipage, le chef du village conduit Jacques Cartier au sommet du Mont-Royal. De là, on peut voir toute la vallée du Saint-Laurent. Les Indiens expliquent que le fleuve a trois chutes en amont d'Hochelaga, mais que l'on peut ensuite y naviguer encore pendant près de trois mois avant d'atteindre « une grande mer douce », un lac. Ils montrent ensuite la rivière des Aoutaouais, affluent du Saint-Laurent, puis désignent les bijoux et les armes des Français. « L'or et l'argent viennent de cette direction. Mais l'Aoutaouais, disent-ils, est gardé par des hommes mauvais qui sont en guerre contre Hochelaga. »

Jacques Cartier est très intéressé par ces indications qui confirment toutes ses espérances. Cependant, il est un peu inquiet. Il a laissé son bateau, l'*Emerillon,* sans surveillance, et il est maintenant pressé d'y retourner. Il reprend donc le chemin du retour accompagné par les Indiens, qui portent même les voyageurs trop fatigués pour marcher.

Cèdre blanc
(ou libocèdre)
Rameau et
Cône
Maïs
"Blé d'Inde"
appelé encore ainsi
au Québec

Un hiver au pays de Canada

Le retour à Stadacone est très rapide, car l'*Emerillon* est poussé par le courant. Pendant l'absence de Jacques Cartier, les marins ont construit un petit fort pour l'hiver. Sans rancune, le chef Donnacona vient visiter l'installation. Il est rassuré de voir que Cartier ne s'est pas installé à Hochelaga et a préféré Stadacone. Pour lui montrer sa satisfaction et lui faire honneur, il l'invite à Stadacone. Domagaya lui fait visiter sa maison. Jacques Cartier est intéressé par tout ce qu'il voit dans la longue maison indienne. Un trou au milieu du toit sert de cheminée et des bancs recouverts de fourrure le long des murs font office de sièges et de lits. Au plafond sont accrochées les provisions pour l'hiver. Enfin d'étranges trophées suspendus près de l'entrée attirent l'attention

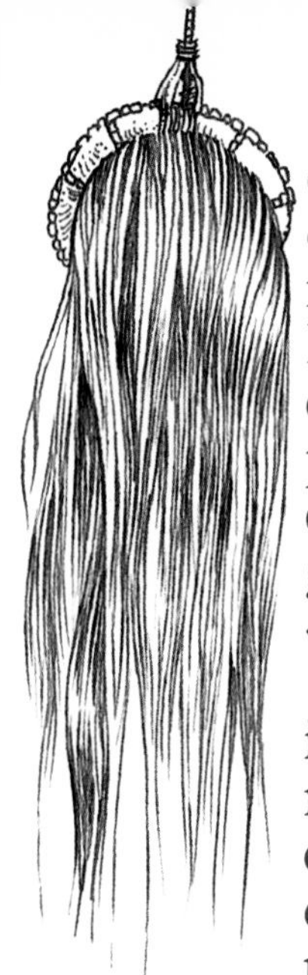

La prise du scalp était l'appropriation de la personnalité, "l'âme" de l'ennemi

de Jacques : il s'agit des « scalps » de cinq Indiens Micmacs, ennemis des Iroquois. Pour les Indiens, en effet, c'est une coutume très ancienne que de prendre la chevelure de leurs ennemis vaincus ; la valeur d'un guerrier se mesure au nombre de « scalps » qu'il a chez lui.

Les Français sont aussi très intrigués de voir les Indiens mettre dans leurs bouches des cornets de terre cuite remplis d'herbes sèches qu'ils font brûler pour en aspirer la fumée. On ignore encore tout en France du tabac et de l'usage de la pipe. Les plus courageux tentent l'expérience. Mais le goût amer du tabac leur emporte la bouche, et ils ont l'impression de « manger du poivre pur ».

Au fort des Français on a continué à la hâte les préparatifs pour l'hiver qui s'annonce rude. Il fait déjà très froid, mais les explorateurs ne se doutent pourtant pas que l'hiver canadien va dépasser tout ce qu'ils ont pu imaginer.

Dès la mi-novembre, le sol est recouvert d'une couche de neige de plus d'un mètre d'épaisseur. La rivière Sainte-Croix est entièrement prise par la glace et les barriques de vin gèlent dans les navires. Très vite, les Français s'aperçoivent qu'ils n'ont pas prévu assez de vivres ni de vêtements chauds. Les fourrures qu'ils ont eues en troc sont les bienvenues. Mais ils manquent de viande fraîche, car ils ont du

mal à se déplacer dans la neige pour chasser.

Bien plus, voici que les hommes tombent malades les uns après les autres. Ils sont atteints du scorbut, maladie des navigateurs, due au manque de vitamines C que l'on trouve principalement dans les produits frais, les fruits et les légumes. A cette époque, on ignorait la cause de cette affection. Où les navigateurs auraient-ils pu, d'ailleurs, au cœur de l'hiver canadien, trouver les fruits et les légumes nécessaires à leur guérison ?

Jacques Cartier se voit perdu. Il réunit alors tous les hommes valides et leur fait réciter une prière à la Vierge. Cartier redoute tout autant les Indiens que la maladie. Il craint que ceux-ci ne profitent de leur faiblesse pour les attaquer, car il sait bien que Donnacona et ses hommes convoitent leurs armes et leurs vêtements. Il donne donc aux marins les moins malades la consigne de faire le plus de bruit possible pour donner l'impression aux Indiens qu'ils sont tous en bonne santé et occupés à travailler sur les navires et dans le fort.

Domagaya, le fils de Donnacona, est lui aussi malade. C'est ce que l'on apprend à Jacques Cartier lorsqu'il demande des nouvelles du jeune Indien. Or, quelques jours plus tard, il reparaît, guéri. Jacques s'émerveille de cette spectaculaire guérison et en demande le secret. Fier de ses connaissances, Domagaya fait porter au fort des rameaux de cèdre blanc.

Il suffit de les piler et de les faire bouillir, explique-t-il, puis de donner cette tisane au malade.

Tout l'équipage boit immédiatement l'infusion, et voilà bientôt tous les marins sur pied. L'expédition l'a échappé belle, grâce aux Indiens !

C'est également en observant les Indiens

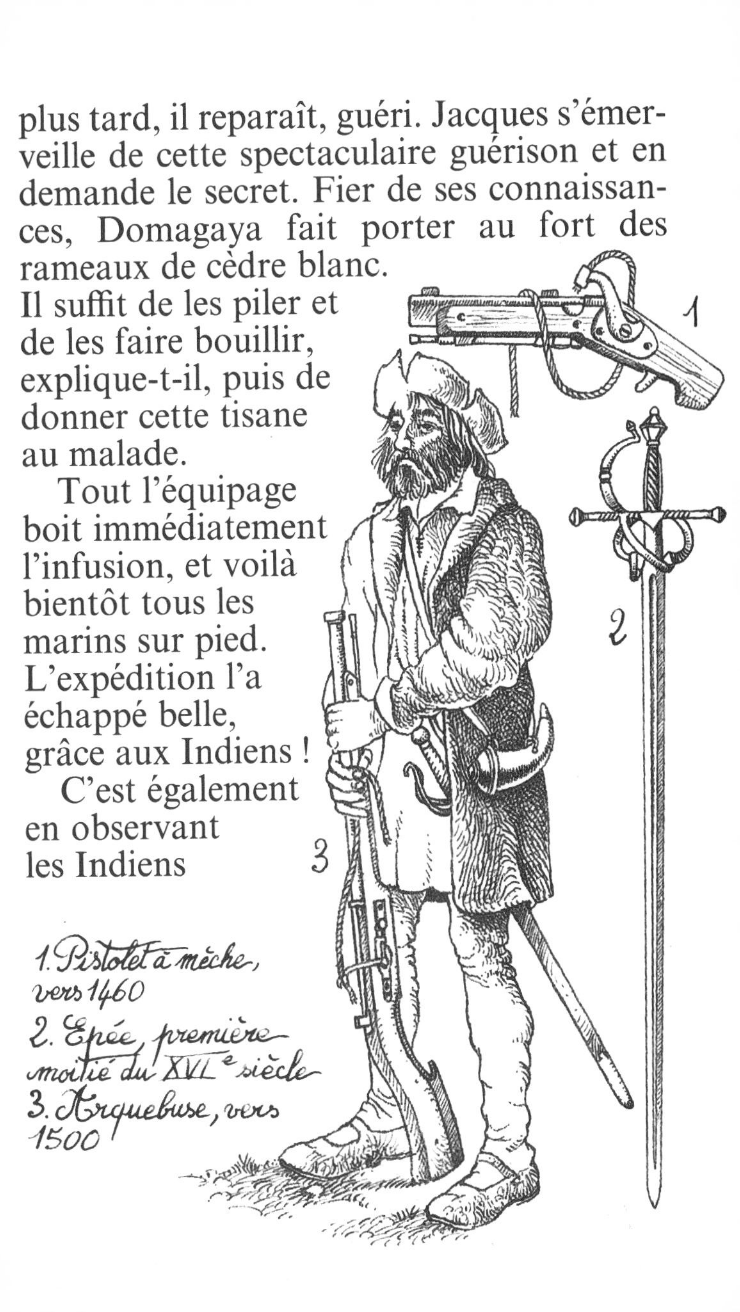

1. Pistolet à mèche, vers 1460
2. Epée, première moitié du XVIe siècle
3. Arquebuse, vers 1500

que les hommes apprennent l'usage des raquettes qui permettent de se déplacer sur la neige molle sans s'y enfoncer. Bientôt les Français prennent goût aux immensités enneigées du Canada, et surtout à la chasse qui leur permet de s'approvisionner en gibier.

Ses hommes guéris, Jacques Cartier songe à poursuivre son exploration. Il interroge inlassablement les Indiens, car il a maintenant compris qu'il ne trouvera pas dans le Saint-Laurent son passage vers la Chine. Il pense cependant gagner les Grands Lacs dont il a appris l'existence à Hochelaga et, de là, trouver un autre fleuve qui le conduira à la mer de Chine. Les Indiens décrivent d'ailleurs à Jacques Cartier l'intérieur de leur continent. Donnacona lui parle en particulier du fabuleux royaume de Saguenay, au nord de son territoire. On y trouve, dit-il, de l'or, des rubis, des hommes habillés comme les Français, des villes et des palais somptueux. Au sud, on trouve des terres couvertes d'orangers, des oiseaux multicolores et des hommes très petits qui n'ont qu'une jambe. Ces récits font rêver Jacques Cartier qui a du mal à faire la part de la fable et de la réalité.

Les Indiens aiment conter. Ils aiment charmer leur auditoire par des récits extraordinaires. Et quel plaisir d'éblouir ces riches Français, d'avoir, suspendus à ses lèvres, des hommes savants et intrépides qui boivent vos paroles et ne demandent qu'à vous croire. Et pourquoi d'ailleurs les Français ne croiraient-ils pas tous ces récits merveilleux ? Les Espagnols et les Portugais ont trouvé en Amérique plus de richesses qu'il était possible de l'imaginer.

Jacques Cartier décide alors d'enlever Donnacona pour qu'il puisse raconter lui-même au roi de France ce qui se trouve dans les contrées fabuleuses de l'intérieur de l'Amérique.

Jacques tend un piège au chef indien. Il explique qu'il ne ramènera pas d'hommes adultes cette fois-ci, seulement des enfants

pour leur apprendre la langue. Puis il invite le chef et ses deux fils pour un repas d'adieu. Confiants, les Indiens se présentent au fort. Ils sont faits prisonniers et emmenés sur les bateaux. Les hommes de Stadacone passent le reste de la nuit à menacer les Français de la rive. Mais, pendant ce temps-là, Jacques a convaincu Donnacona et lui a promis de le ramener l'année suivante.

Le chef indien n'est donc pas fâché de partir lui aussi découvrir le pays des Français dont ses fils lui ont tant parlé. Le lendemain matin, Donnacona monte sur le pont du navire et rassure ses troupes. Des chefs de la tribu viennent alors apporter des présents et des provisions à Jacques Cartier pour qu'il prenne bien soin de Donnacona.

Deuxième voyage

16 mai 1535
16 juillet 1536

Archipel des 7 îles
Royaume de Saguenay
Rivière Saguenay
Ile de l'Assomption
fleuve St Laurent
Stadaconé (Québec)
Ile d'Orléans
Hochelaqua (Montréal)
Mont Royal

"Ligne à noeuds"

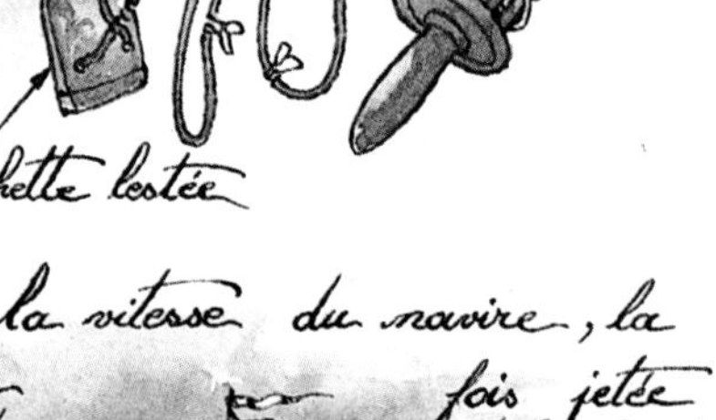

planchette lestée

Pour mesurer la vitesse du navire, la planchette une fois jetée par dessus bord et restant fixe dans l'eau, la corde se déroule et les noeuds sont comptés dans un temps donné

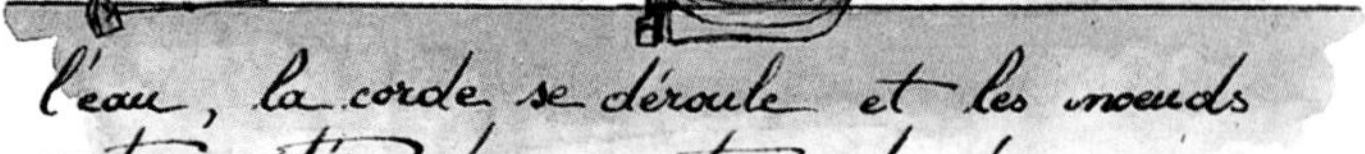

« la Nouvelle France »

Le 5 mai 1536, les navires quittent Stadacone, tandis que tous les habitants se sont massés sur le rivage pour dire adieu à leur chef et à ses fils.

Les navires prennent le chemin du retour. Ils passent cette fois-ci par le sud de Terre-Neuve que Jacques Cartier sait être une île, puis regagnent Saint-Malo sans encombre.

On les attend à Saint-Malo avec une immense curiosité. Les merveilles que Jacques Cartier rapporte sur le Canada, les plantes, les fourrures, les Indiens et les promesses de richesses plus importantes encore font une vive impression dans le port et à la cour.

Donnacona, reçu comme un prince, peut, dès qu'il a un peu appris le français, faire au roi la description des mines d'or, d'argent et de diamants du Canada ainsi que des régions du Sud riches en épices. Il ajoute à cela tous les embellissements que son imagination lui dicte. Il dresse ainsi devant ses auditeurs émerveillés l'image d'un pays où tout est possible, où des monstres et des animaux extraordinaires vivent à côté d'hommes chauves-souris ou unijambistes. Tout le monde l'écoute et tout le monde le croit parce qu'il est le seul à connaître ce pays et parce qu'à cette époque on imaginait que tout était possible sur les terres que l'on ne connaissait pas encore.

Tout ce que l'on avait découvert sur les terres du Nouveau Monde était tellement merveilleux que tout pouvait y arriver...

Donnacona connaît un grand succès à la cour et s'y amuse beaucoup. Le roi apprécie le chef indien et se plaît à entendre ses récits, rêvant de poursuivre des explorations, ce qui ne peut malheureusement se faire immédiatement, car la France est en guerre. Aussi, plusieurs années s'écoulent avant que l'on puisse

le manoir de Limoëlou près Rothéneuf

songer à reprendre l'exploration et la conquête du Canada, que l'on appelle maintenant la « Nouvelle-France ».

Pour lancer une nouvelle expédition, il fallait cette fois-ci plus d'hommes et de matériel, car on envisageait de rester beaucoup plus longtemps au Canada.

On devait en effet s'enfoncer à l'intérieur des terres, affronter des nations peut-être hostiles, traverser des chutes d'eau, remonter des rivières, exploiter des gisements de minerais. Il fallait donc embarquer des artisans, menuisiers, maçons, bûcherons, cordiers... au total presque quatre cents hommes. Car le projet était maintenant d'installer au Canada une petite colonie française qui servirait de base aux expéditions à l'intérieur du pays. On y trouverait tout le nécessaire sans avoir besoin de revenir en métropole. On avait calculé qu'il faudrait bien deux années pour découvrir toutes les contrées que décrivait Donnacona.

Cependant lorsque, la guerre finie, il fut enfin possible de repartir au Canada, une grosse déception attendait Jacques Cartier. Le projet avait pris une telle ampleur que le roi préférait en confier le commandement à une homme de la cour, Roberval.

Jean françois de la Roque
seigneur de Roberval

Roberval, nommé lieutenant-général, fut chargé d'établir une colonie en Nouvelle-France et on lui donna Jacques Cartier comme adjoint. Jacques Cartier fut extrêmement déçu de voir la responsabilité de l'expédition lui échapper au moment où il se sentait si près de réussir, lui qui avait déjà consacré de longues années de sa vie à réaliser son rêve. Il fit contre mauvaise fortune bon cœur et commença à préparer activement son départ.

Une fois encore il se révèle très dur de trouver des volontaires pour le Nouveau-

Monde. L'inconnu fait peur. Roberval, qui cherche des candidats pour un départ définitif, rencontre encore plus de difficultés que Jacques Cartier. Le roi doit même aller jusqu'à faire ouvrir les portes des prisons pour lui trouver des hommes.

Pendant que Roberval cherche partout ses colons, Jacques a réuni ses fidèles et équipé ses navires. Il est prêt le premier. Le roi lui donne l'autorisation de partir en avance pour continuer ses découvertes. Roberval le rejoindra avec le gros de la troupe et le matériel.

Arrivée à Stadacone
le 23 août 1541

Troisième voyage

Cinq années se sont écoulées depuis le dernier voyage. Les Indiens que Jacques avaient ramenés en France sont tous morts. Quel accueil lui réservera-t-on au Canada ? Bien qu'ils partent cette fois-ci à cinq bateaux, les Français sont un peu inquiets lorsqu'après une traversée périlleuse, ils arrivent devant Stadacone, le 23 août 1541. Les habitants se précipitent sur le rivage et leur nouveau chef, Agona, s'approche des navires sur son canot. Il vient aux nouvelles. Jacques Cartier lui raconte que Donnacona est mort après avoir vécu en France comme un prince et que les autres sont mariés là-bas et ne souhaitent plus du tout regagner leur pays.

Agona, un peu soulagé de ne pas voir revenir le chef dont il a pris la place, ne montre aucune contrariété. Il organise même une grande fête pour célébrer le retour de Jacques.

Cette fois-ci, les Français établissent leur camp un peu plus loin de Stadacone, le long de la rivière du Cap-Rouge. Et c'est la beauté du paysage qui les incite à choisir cet endroit. On y trouve en effet des érables magnifiques et des vignes sauvages couvertes de grappes énormes.

Les marins commencent immédiatement à installer leur camp. Ils sèment aussi des graines qui lèvent au bout de huit jours à leur grande admiration.

Jacques donne à ce camp le nom de Charlesbourg-Royal en l'honneur de Charles d'Orléans, fils de François Ier.

Le *Saint-Brieuc* et le *Georges,* les deux navires chargés de matériel qui accompagnaient l'expédition, regagnent Saint-Malo en rapportant ces premières bonnes nouvelles.

Après le départ des navires, Jacques Cartier décide de gagner le royaume de

Saguenay avant l'hiver. Il laisse le commandement du fort à son beau-frère, Guyon des Granches, et, accompagné de quelques gentilshommes, remonte le Saint-

Laurent jusqu'à l'île de Montréal, où il retrouve le village d'Hochelaga.

Guidé par six Indiens, il essaye de franchir les chutes qui barrent le fleuve. Après avoir passé la première à grand-peine, Jacques Cartier comprend qu'il n'est ni assez préparé ni assez équipé. Il préfère remettre cette expédition à plus tard et revenir sur ses pas.

Le voici de retour à Stadacone pour un nouvel hiver. Mais, avec les Indiens, les relations ne sont plus aussi bonnes depuis le retour des Français sans leurs captifs. Les Iroquois se méfient des explorateurs et craignent qu'ils ne veuillent s'installer définitivement et en maîtres dans leur pays. Ils leur tendent donc des embuscades dès qu'ils les trouvent en dehors du fort. Trente-cinq hommes sont ainsi tués durant l'hiver.

A la fin du mois de juin 1542, Jacques Cartier décide de regagner la France. Il a fait une trouvaille qui le comble de joie et qui fait passer au second plan les projets d'exploration du Saguenay.

Il a découvert, non loin de Stadacone, à un endroit qui prendra par la suite le nom de « Cap-Diamant », des pierres merveilleuses qui lançaient des étincelles au soleil.

Plus tard, ses hommes trouveront au bord de l'eau des feuilles d'or épaisses comme l'ongle.

Ébloui par ces richesses qu'il ne pensait pas trouver si facilement, Jacques Cartier en remplit onze tonneaux qu'il charge à bord de ses navires. Rien ne le retient donc plus au Canada. Il a grande hâte de montrer ces trésors au roi sans attendre que Roberval, qui n'est toujours pas arrivé, ne s'en attribue le mérite.

Les navires appareillent donc en juin 1542, ramenant des hommes fiers de leur réussite et heureux des bonnes nouvelles qu'ils rapportent.

Hélas ! l'arrivée leur réserve une mauvaise surprise. Après expertise, les diamants se révèlent être du quartz, et l'or de la pyrite de fer, minéraux dont on ne sait que faire à l'époque.

Jacques est la risée de la Cour qui forge un nouveau dicton : « Faux comme diamants du Canada » !

Le roi, déçu, se désintéresse du Canada. Et Jacques Cartier finit sa vie en disgrâce dans son petit manoir de Limoëlou près de Saint-Malo. Il y meurt, emporté par la peste le 1er septembre 1557.

Si le roi et la majorité des hommes de son temps se sont moqués de Jacques Cartier, les grands écrivains et les grands géographes de son époque ne s'y sont pas trompés. Ils sont venus lui rendre visite à Saint-Malo et ils ont écouté le récit de ses voyages.

Jacques Cartier lui-même a laissé le journal de ses explorations, et nous savons maintenant quelle importance elles ont eue. Grâce à lui, les Français ont connu le Canada et le Saint-Laurent.

Et si, par la suite, d'autres Français se sont installés à Québec et à Montréal, et de là ont exploré tout le cœur de l'Amérique du Nord jusqu'au golfe du Mexique, c'est bien parce qu'un capitaine malouin nommé Jacques Cartier est parti un jour droit devant lui pour trouver une nouvelle route vers la Chine.

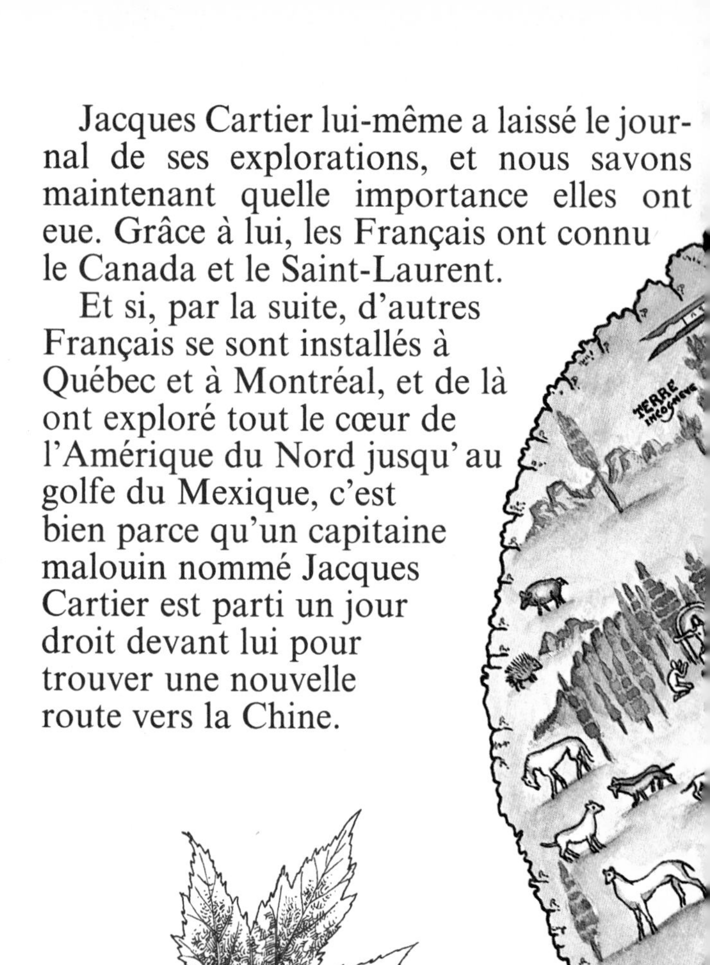

LA TERRE DV LABOVREVR
CANADA
HOCHELAGA
LA FLORIDE
MER DE FRANCE
MER D'ESPAIGNE
LA MER OCCEANE
TROPIQUE DE CANCER
MER DES ÉTILLES

Une des premières représentations du Canada en 1546

(Inspirée d'une carte du Monde de Descelliers)

1534 ~ 1763
Le Canada, de Jacques Cartier à la fin du régime français.

L'échec du dernier voyage de Jacques Cartier marque la fin des entreprises officielles françaises vers le Canada au XVIe siècle. Cependant, durant toute la fin du siècle, les pêcheurs qui exploitent les bancs de Nouvelle-France lient un actif commerce de pelleteries avec les indigènes.
Devant l'importance de ce commerce, Henry IV décide de fonder au Canada une colonie permanente qui lui assurera le monopole de la traite des fourrures.
Après plusieurs entreprises malheureuses, Champlain fonde Port-Royal en ***1605*** (aujourd'hui Annapolis, Nouvelle-Écosse) capitale de l'Acadie, puis la ville de Québec en ***1608.*** Sa vie durant, Champlain se consacrera au développement de la petite colonie malgré le peu d'enthousiasme de la métropole, la rivalité anglaise (prise de Québec en 1629, restitué à la France en 1632 par le Traité de Saint-Germain-en-Laye) et la perpétuelle menace des Iroquois. ***En 1660,*** la Nouvelle-France ne compte encore que 3 000 colons.

Il faut attendre le début du règne de Louis XIV pour assister à un véritable essor du Canada français. Sous l'égide du Premier Intendant nommé par Colbert, Jean Talon, et du Gouverneur Frontenac, la colonisation et le peuplement se développent.
Le Régiment de Carignan-Salières, envoyé au Canada dès 1665, permet d'endiguer la menace iroquoise jusqu'à la paix définitive de 1701. La population peut ainsi s'organiser librement le long du Saint-Laurent.
Le licenciement sur place des soldats du Régiment de Carignan et l'arrivée de nombreux engagés venus des provinces de l'Ouest de la France (Normandie, Perche, Pays-de-Loire, Poitou-Charentes) fait monter le chiffre de la population à 6 282 personnes en 1668, 34 000 en 1730, 65 000 en 1763.
Parallèlement se poursuit la découverte de l'espace américain. Les « coureurs des bois », les explorateurs, les

« traiteurs » de fourrures, les missionnaires fascinés par l'immensité du continent s'y enfoncent toujours plus loin. Après Champlain et Étienne Brulé qui avaient reconnu les Grands Lacs, Radisson et des Groseillers en parachèvent l'exploration et découvrent le chemin de la baie d'Hudson (1660).

En 1671, le Père Albanel parvient à la baie James.

En 1673, Jolliet et le Père Marquette découvrent le Missisipi.

En 1682, Cavelier de La Salle descend le Mississipi jusqu'au golfe du Mexique.

En 1717, le lieutenant Jacques de Noyon découvre le lac Nipigon.

En 1731, poursuivant cette exploration vers l'ouest, La Verendrye puis ses fils atteignent la rivière Saskatchewan.

Les possessions françaises en Amérique s'étendent alors de l'Acadie, en bordure de l'Atlantique, aux prairies à l'ouest ; du Saint-Laurent et des Grands-Lacs au Mississipi vers le sud. Les Français sont ainsi maîtres de tout l'intérieur du continent américain. Menace permanente pour l'Angleterre qui occupe, elle, la frange côtière du continent. Un conflit est inévitable.

Il se poursuit en quatre périodes qui correspondent aux principaux épisodes des guerres européennes entre la France et l'Angleterre.

1690-97 : Siège de Québec, repoussé par le Gouverneur Frontenac.

1702-13 : Prise de Port-Royal et traité d'Utrecht qui aboutit à la cession de l'Acadie aux Anglais.

1744-48 : Prise de la forteresse acadienne de Louisbourg, rendue à la France à la paix d'Aix-la-Chapelle.

1756-63 : Louisbourg tombe aux mains des Anglais (juillet 58), puis le Fort Frontenac sur le lac Ontario. Wolfe s'empare de Québec (1759), malgré la défense acharnée que lui oppose Montcalm.

Le traité de Paris (février 1763) reconnaît la perte du Canada qui est désormais rattaché à la Couronne d'Angleterre.

Biographies

Historienne de formation, **Caroline Montel-Glénisson** s'est spécialisée dans l'étude de l'histoire du Canada et de l'Amérique du Nord. Documentaliste d'expositions sur ce sujet (*Le Canada de Louis XIV, Naissance de la Louisiane*), Caroline Montel-Glénisson a également participé à la restauration du manoir de Jacques Cartier à Saint-Malo. Avec Isabelle Vernay-Levêque elle a publié un album pour les tout-petits sur ce découvreur qu'elle connaît décidément fort bien : *Il y a 450 ans, Jacques Cartier...* (Atya).

Né en 1948, **Morgan** s'est embarqué de Saint-Malo pour Paris en 1978, avec pour tout bagage artistique ses brumes, ses landes et ses rocs.
Il a beaucoup dessiné pour la presse : *Le Monde Dimanche, L'Os à Moëlle, Le Matin de Paris...* Ses premières illustrations de livres sont parues dans la collection Folio junior : *Fred le nain et Maho le géant,* de Rémi Laureillard, puis des textes de Stevenson, Buzzati, Poe...
En 1981, Morgan s'en est retourné vivre où soufflent les vents d'ouest, dans les montagnes noires du centre de la Bretagne.

Nous tenons à remercier Monsieur Philippe Jacquin, de l'Université de Lyon, pour son aimable contribution à la réalisation de cet ouvrage.